KT-429-952

LIBRARIES NI	
C700755987	
RONDO	15/09/2011
J891.62	£ 5.85
FALLS	

Gabhann Oxfam buíochas leis na grianghrafadóirí seo a leanas:
Amin ó Ghníomhaireacht Ghrianghrafadóireachta Drik (lgh 8-9), Annie Bungeroth (lgh 6-7, 12-13, 16-17,
clúdach agus clúdach cúil), Caroline Irby (lgh 24-25), Geoff Sayer (lgh 26-27),
Rajendra Shaw (lgh 22-23) agus Sungwan So (lgh 14-15).

Frances Lincoln Limited a chéadfhoilsigh sa bhliain 2010 faoin teideal *Our Animals*

An Leagan Gaeilge © Foras na Gaeilge 2010

ISBN 978-1-85791-777-2

Seosamh Ó Murchú a rinne an leagan Gaeilge

Printset & Design Teo. a réitigh an cló

Le caoinchead Oxfam Activities Limited a fhoilsítear na grianghraif go léir
© Oxfam Activities agus na grianghrafadóirí mar atá ainmnithe 2010
seachas lgh 10-11 cóipcheart © Sungwan So,
lgh 18-19 cóipcheart © Giacomo Pirozzo – Panos Pictures,
lgh 20-21 cóipcheart © Gerd Lugwig – Panos Pictures.

Gach ceart ar cosaint. Ní ceadmhach aon chuid den fhoilseachán seo a atáirgeadh, a chur i
gcomhad athfhála, ná a tharchur ar aon mhodh ná slí, bíodh sin leictreonach, meicniúil, bunaithe ar
fhótachóipeáil, ar thaifeadadh nó eile, gan cead a fháil roimh ré ón bhfoilsitheoir.

Le fáil ar an bpost uathu seo:

An Siopa Leabhar,   *nó*   An Ceathrú Póilí,
6 Sráid Fhearchair,   Cultúrlann Mac Adam-Ó Fiaich,
Baile Átha Cliath 2.   216 Bóthar na bhFál,
ansiopaleabhar@eircom.net   Béal Feirste BT12 6AH.
                                                             leabhair@an4poili.com

Orduithe ó leabhardhíoltóirí chuig:
Áis,
31 Sráid na bhFíníní,
Baile Átha Cliath 2.
eolas@forasnagaeilge.ie

An Gúm, 24-27 Sráid Fhreidric Thuaidh, Baile Átha Cliath 1

Ár nAinmhithe

G AN GÚM

i gcomhar le **Oxfam**

Seo í Isabela agus tá coileach á thabhairt ar an margadh aici. Duine den phobal Máigeach í. Is i nGuatamala atá cónaí uirthi.

Tá sé seo beagnach chomh mór liom féin!

Tá feirm ag muintir Saran
sa Bhanglaidéis. Tá an colúr
seo gortaithe agus tá sé
ag cur leighis air.

Tugaim aire do
na colúir.

Tá Shanyi agus a muintir
ag beathú na gcarbán
sa ghairdín traidisiúnta seo
sa tSín.

Ní fhaca mé
an méid sin
iasc riamh!

Baineann Gamachu leis an bpobal Boránach san Aetóip. Feirmeoirí camall iad agus bíonn beithígh, gabhair agus caoirigh acu chomh maith.

Is minic a bhíonn cantal ar na camaill!

Dhá chat agus dhá iasc órga
atá ag muintir Dahlys
ina dteach in California,
i Stáit Aontaithe Mheiriceá.

Bíonn tart
ar an gcat seo
i gcónaí!

Bíonn olann dheas
ar na halpacaí atá ar
fheirm mhuintir Lúcas
sna sléibhte i bPeiriú.

As olann alpaca
atá mo hata agus
mo gheansaí
déanta.

Feirm coiníní atá ag
muintir an chailín seo.
I sráidbhaile i Maracó
atá cónaí uirthi.

Peata is ea an
ceann seo.

Baineann na buachaillí
seo leis an bpobal
Mundaracúch
sa Bhrasaíl. Is breá leo
an mhuc seo acu.

Bíonn sí sásta
nuair a chuirimid
cigilt ina bolg.

Tá an cailín seo agus a máthair
ag tabhairt bia do na géanna.
San India atá cónaí orthu.

Tá súil agam
nach bpriocfaidh
sé mo mhéar!

Níl aon uisce reatha le fáil san áit a gcónaíonn Barfimoh sa Táidsíceastáin. Téann sí ar asal go dtí an tobar chun uisce a thabhairt abhaile.

Tá na hárthaí seo róthrom le hiompar agamsa.

Is maith le Khadija an meannán seo atá díreach feicthe aici. Tá sí ar cuairt ar fheirm in Tekane, sa Mháratáin.

SAM

Maracó

Guatamala

Peiriú

An Mháratáin

An Bhrasaíl

An Táidsíceastáin

An tSín

An Aetóip

An Bhanglaidéis

An India

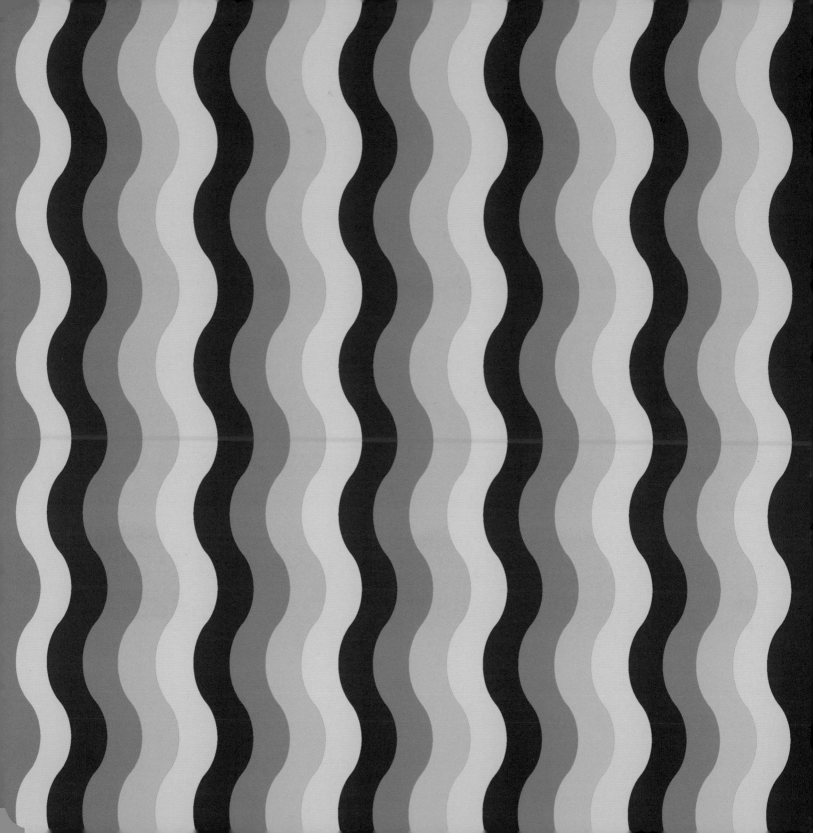

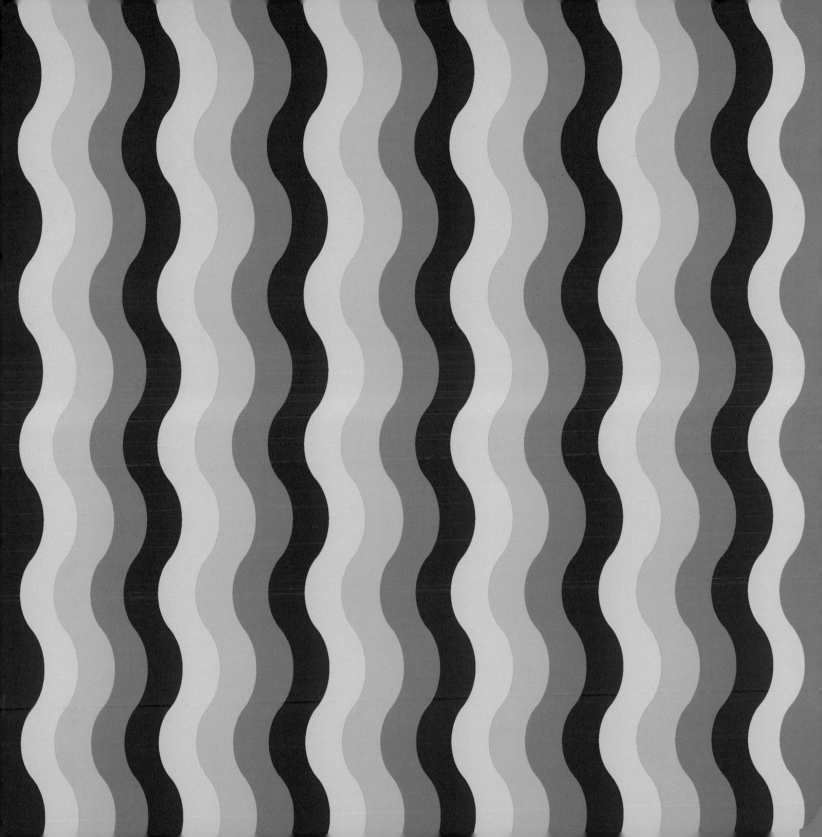